PRESSES AVENTURE

PRESSES AVENTURE INC.
55, rue Jean-Talon Ouest
Montréal (Québec) H2R 2W8
CANADA
groupemodus.com

Histoire d'après l'épisode *Halloween* écrit
par Tahlia Gee et Adam Woods. © Moose, 2013.

Président-directeur général : Marc G. Alain
Directrice éditoriale : Marie-Eve Labelle
Adjointe à l'édition : Vanessa Lessard
Rédactrice : Catherine LeBlanc-Fredette
Infographiste : Vicky Masse-Chaput

ISBN : 978-2-89751-282-8

Dépôt légal — Bibliothèque et Archives nationales du Québec, 2016
Dépôt légal — Bibliothèque et Archives Canada, 2016

Nous reconnaissons l'aide financière du gouvernement
du Québec par l'entremise du Programme de crédit d'impôt
pour l'édition de livres et du Programme d'aide aux
entreprises du livre et de l'édition spécialisée — SODEC

Financé par le gouvernement du Canada

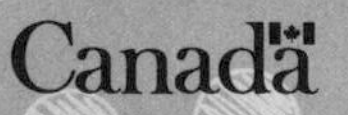

Imprimé au Canada

PRESSES AVENTURE

Aujourd'hui, c'est l'Halloween à Shopville.

Attention ! Ce n'est pas pour les cœurs fragiles !

On raconte que le supermarché devient hanté.

Oseras-tu t'y aventurer ?

Tout commence

au premier coup

de minuit.

Dehors, le ciel s'assombrit.

Le supermarché se
remplit de citrouilles.

Il y a de quoi avoir la trouille !

Les Shopkins
qui bravent les
rues obscures...

... se transforment en d'étranges créatures !

Les sorcières rôdent dehors.

Elles s'amusent à jeter des sorts.

Les araignées tissent

leur toile.

C'est la panique générale !

Les chats noirs se promènent en silence.

On dit qu'ils portent malchance...

Il vaut mieux

être accompagnée

d'une amie.

Et faire attention

aux chauves-souris !

On dit qu'il rôde une créature masquée...

... dont même les

fantômes sont effrayés !

As-tu entendu ce bruit ?

Qu'est-ce qui se cache dans la nuit?

Si tu sens quelqu'un dans les alentours...

... peut-être te joue-t-on

un tour.

Si à l'Halloween
on cogne chez toi,
tu te demanderas
sûrement :
« Mais qui est là ? »

Mais n'hésite surtout pas à ouvrir.

Ce sera peut-être les

Shopkins pour te faire rire !

Tu as lu ce livre jusqu’à
la dernière page ?
Les Shopkins te félicitent,
car tu as bien du courage !

Joyeuse Halloween !